Hé, a Ruairí!

Colmán Ó Raghallaigh agus Anne Marie Carroll

Clár

© Cló Mhaigh Eo 2004
An dara cló 2006
An tríú cló 2008

Téacs agus léaráidí © Cló Mhaigh Eo 1997.

Foilsithe ag Cló Mhaigh Eo,
Clár Chlainne Mhuiris,
Co. Mhaigh Eo,
Éire.

ISBN 1 8999 22 20 2

Dearadh: raydes@iol.ie
Clóbhuailte in Éirinn ag Clódóirí Lurgan Teo.

Buíochas le Bord na Gaeilge, Ray McDonnell, Bríd Uí Éineacháin, Diarmuid Johnson agus Ré Ó Laighléis.

Faigheann Cló Mhaigh Eo cabhair ó Bhord na Leabhar Gaeilge.

Do Áine, Treasa agus Séamus.

Do Ray, le grá ó Áine Máire.

Cuairt ar an Leabharlann

Bhí Ruairí ar a bhealach abhaile ón siopa nuair a chonaic sé Máirtín ag teacht agus leabhar mór faoina ascaill aige.

'Cén scéal?' arsa Máirtín.

'Diabhal scéal,' arsa Ruairí, 'ach cá bhfuil tú ag dul leis an leabhar sin?'

'Tá mé ag dul chuig an leabharlann. An dtiocfaidh tú liom?'

'Tiocfaidh,' arsa Ruairí. 'Ní raibh mé sa leabharlann riamh.'

Bhí iontas ar Mháirtín.

'Tar uait mar sin,' ar seisean.

Shiúil siad ar aghaidh agus níorbh fhada gur shroich siad an leabharlann.

'Caithfimid a bheith ciúin anois,' arsa Máirtín agus iad ag dul isteach. 'Níl cead ag aon duine a bheith ag

caint istigh anseo.'

Suas leo ansin go dtí an deasc.
Bhí bean ard thanaí ina suí ag fanacht
leo agus cé go raibh an focal
'CÚNTÓIR' scriofa ar chárta beag
os a comhair, bhí cuma an-chrosta
uirthi.

4

'Bhuel?' ar sise le Máirtín.

'Ba mhaith liom an leabhar seo a thabhairt ar ais le do thoil,' arsa Máirtín agus nach é a bhí deas múinte!

Bhí straois ar Ruairí ag éisteacht leis ach nuair a chonaic sé an bhean ag stánadh air ní raibh an straois i bhfad ag imeacht.

'Tá go maith,' arsa an cúntóir agus thóg sí an leabhar ó Mháirtín. 'Bhfuil tú ag iarraidh ceann eile?'

'Tá,' arsa Máirtín de ghlór beag.

'Faigh ceann mar sin,' ar sise.

'Agus céard fútsa?' ar sise le Ruairí  agus í á scrúdú go géar thar a cuid spéaclaí.

'Mise? Ó...níl mise ach ag breathnú,' ar seisean go neirbhíseach.

'Ag breathnú!' ar sise agus í ag stánadh i gcónaí air. 'Hmm! Tá go maith. Bígí ag imeacht mar sin.'

Anonn leis an mbeirt acu go dtí na leabhair spóirt.

'Féach an ceann seo faoin gcispheil,' arsa Máirtín ar ball.

'Tá a fhios agat nach dtaitníonn an chispheil liomsa,' arsa Ruairí os ard.

'Shh,' arsa an cúntóir go crosta.

'Éist do bhéal,' arsa Máirtín le Ruairí agus thug sé sonc dó.

Bhí Ruairí ar tí ceann a thabhairt ar ais dó nuair a thug sé leabhar eile faoi deara.

'Féach an ceann sin ag an mbarr faoin bpeil,' ar seisean.

Suas le Máirtín ar a bharraicíní ach ní raibh sé in ann greim a fháil air.

'Tá sé ró-ard dom,' ar seisean. 'Fan go bhfaighfidh mé an stóilín.'

Leis sin chuala siad an glór ón deasc arís, 'Ciúnas ansin!'

'Sssh!' arsa an bheirt acu lena
chéile!

'Coinnigh tusa greim ar an stóilín
seo,' arsa Máirtín agus é ag
dreapadh suas air.

'Ceart go leor,' arsa Ruairí.

Shín Máirtín é féin go cúramach i

9

dtreo an leabhair ach bhí sé fós beagánín rófhada uaidh. An chéad rud eile tharla an tubaiste!

'A dhiabhail,' ar seisean, 'tá mé ag titim!'

Agus chríochnaigh sé féin agus an stóilín agus an seastán leabhair ina gcarn ar an urlár!

'Ó bhó, bhó!' arsa Ruairí.

Anall leis an gcúntóir de ruathar chucu agus í ar deargbhuile.

'In ainm Dé,' ar sise, 'céard atá ar siúl agaibh anseo?'

Ach níor thug an bheirt aon aird uirthi.

'Féach céard a rinne tú anois,' arsa
Máirtín go crosta le Ruairí.

'Mise?' arsa Ruairí agus fonn troda
ag teacht air. 'Tusa a leag iad!'

'Stopaigí an tseafóid seo
láithreach,' arsa an cúntóir agus

greim cluaise aici ar an mbeirt,

'agus glanaigí suas an praiseach seo

go beo!'

Ar ais léi ansin go dtí an deasc áit a raibh scuaine custaiméirí eile ag fanacht agus iontas orthu.

'Tú féin agus do chuid leabhar,' arsa Ruairí go míshásta.

'Muise, dún do chlab agus bí ag obair,' arsa Máirtín.

Tríona

Tá deirfiúr bheag ag Ruairí.
Tríona is ainm di. Cúpla
seachtain ó shin shocraigh Mam
agus Aintín Nóra dul go dtí an
chathair ag siopadóireacht.
Fágadh Daid agus Ruairí i bhfeighil
an tí agus iad ag tabhairt aire do
Thríona.

Anois, cé gur cailín
beag í Tríona, is
minic a bhíonn sí i
dtrioblóid mhór.
Agus ní raibh sé i
bhfad gur thosaigh
an trioblóid.

18

Fad a bhí Daid agus Ruairi ag
cruinniú na ngréithe le hiad a ní,
bhí Tríona ina suí ina cathaoir ard
in aice leis an doirteal. Go tobann
rug sí ar an mbuidéal ina raibh an
sobal níocháin agus dhoirt sí steall
mhór isteach san uisce.

Nuair a chas Daid timpeall bhí sobal agus boilgeoga ar fud na háite.

'Bu… Bu… Buidéal!' arsa Tríona.

Thóg Ruairí amach as an gcathaoir í agus d'fhág sé ar an urlár í fad a bhí siad ag glanadh suas.

'Ceart go leor,' arsa Daid.

'Déanfaimid an níochán anois, a Ruairí. Tig leatsa cuid de na héadaí sin a lódáil.'

'Tá go maith,' arsa Ruairí. Thaitin sé leis a bheith ag cuidiú.

Ní raibh aon duine ag tabhairt
airde ar Thríona agus níorbh fhada
gur lig sí scairt aisti.

'Seo dhuit do bhábóg,' arsa Ruairí.

'Bá… Bá… Bábóg!' arsa Tríona.

Ach céard a rinne sí ansin? I ngan
fhios do Ruairí chaith sí an bhábóg

isteach sa mheaisín níocháin. Ansin
chuir Daid tuilleadh níocháin
isteach ann, dhún sé an doras agus
bhrúigh sé an cnaipe. Thosaigh na
héadaí ag dul timpeall agus an
bhábóg ina measc. Ní raibh sé i

bhfad go raibh an bhábóg briste ina
smidiríní.

Bhí píosaí beaga di ag dul timpeall
san uisce, lámh anseo agus bróigín
ansiúd…Ach ní fhaca Daid ná
Ruairí tada. Go dtí gur stop an
meaisín…

'Céard sa diabhal?' arsa Daid.

'Bá… Bá… Bábóg!' arsa Tríona.

Thóg sé uair an
chloig ar Dhaid an
meaisín a dheisiú
arís agus ansin bhí
sé in am dul ag
siopadóireacht.

Nuair a shroich siad an
t-ollmhargadh fuair siad tralaí mór
taobh amuigh den doras agus chuir
siad Tríona isteach ann.

Bhí liosta ag Daid agus bhí sé féin
agus Ruairí ag caitheamh na rudaí
isteach sa tralaí agus iad ag dul
timpeall. I ngan fhios dóibh áfach,

bhí Tríona á gcaitheamh amach arís
agus ag cur isteach rudaí eile.

Isteach le rud ag Daid… amach leis
ag Tríona… agus isteach le rud
éigin eile ina áit!

Ó bhó! Faoin am a thug siad faoi
deara céard a bhí ag tarlú, b'éigean
dóibh a leath acu a athrú arís.

'A dhiabhail!' arsa Daid le Tríona
agus strainc air. Bhí sé ag éirí an-
mhíshásta!

Stop siad ansin chun sos a
ghlacadh. Ach mo léan! Níor thug
siad faoi deara an carn mór úlla a
bhí díreach in aice leo.

'Ú… Ú… Úlla!' arsa Tríona agus sciob sí ceann den charn. Ar feadh soicind amháin d'fhéach Daid agus Ruairí ar a chéile. Bhí a fhios acu céard a bhí le teacht! An chéad rud eile thug an carn faoi agus d'imigh na húlla ina sruth ar fud na háite. Chaith Daid agus Ruairí leathuair an chloig eile á mbailiú arís agus náire an domhain ar an mbeirt acu. Ach ní raibh náire ar bith ar Thríona ach í ina suí ar a sáimhín só agus í ag ithe léi.

'Ú… Ú… Úlla!' ar sise ó am go chéile.

Nuair a tháinig siad abhaile bhí siad stiúgtha leis an ocras. Réitigh Daid píosa tósta do Thríona chun í a choinneáil ciúin. 'Seo dhuit anois, a Thríona,' arsa Ruairí.

'Tó… Tó… Tósta!' arsa Tríona agus bhain sí plaic mhór as.

Ansin chuaigh Ruairí amach chun cuidiú le Daid na málaí a

thógail isteach ón gcarr. Ach chomh luath agus a d'fhág sé an seomra nár sháigh Tríona an tósta isteach san fhíseán. Nuair a tháinig sé ar ais bhí sí ag gáire in ard a cinn agus a méar

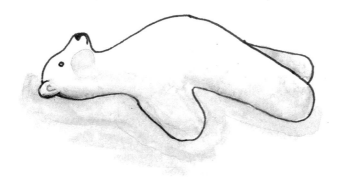

sínte i dtreo an fhíseáin.

'Céard atá déanta anois agat?' arsa
Ruairí agus é ag rith anonn chuici.

'Tó… Tó… Tósta!' arsa Tríona.

Tamall ina dhiaidh sin d'fhill Mam
agus Aintín Nóra ón gcathair agus
ardiúmar ar an mbeirt acu.

'Bhuel,' arsa Mam, 'an raibh lá
maith agaibh?'

Ach bhí Daid agus Ruairí trína
chéile agus iad ag iarraidh an físeán
a chur ag obair arís.
'Céard a tharla?' arsa Mam.

'Trí… Trí… Tríona!!!' arsa Ruairí
go míshásta.

Ach bhí Tríona sa chúinne agus í
ina codladh go sámh!

Cáca Milis

B hí Ruairí sa seomra suite ag
breathnú ar chartúin nuair a
chuala sé Mamaí ag glaoch air.
'A Ruairí, tá mise ag dul go dtí an
gruagaire. An ndéanfaidh tú jaibín
beag dom?'

Jaibín? Ni raibh Ruairí ró-chinnte.

'Ceart go leor,' ar seisean. 'Céard é féin?'

'Tar amach anseo agus taispeánfaidh mé duit.'

D'éirigh Ruairí go drogallach agus amach leis go dtí an chistin. Bhí sé ag súil nach jab mór millteach a bhí i gceist aici ar nós an féar a ghearradh nó an tseid a ghlanadh. Bhí seisean ag iarraidh na cartúin a fheiceáil!

Ach rud eile ar fad a bhí i gceist ag Mamaí. Bhí cáca á chur isteach san oigheann aici.

'Tá sé cúig tar éis a dó anois, a Ruairí,' ar sise. 'Féadfaidh tú an cáca seo a thógáil amach ag a trí. Ceart go leor?'

'Ceart go leor, a Mhamaí,' arsa Ruairí.

'Ní dhéanfaidh tú dearmad air?'

'Ni dhéanfaidh.'

'Maith an buachaill. Gheobhaidh mé rud éigin duit. Beidh mé ar ais ag a cúig. Slán go fóillín.'

'Slán,' arsa Ruairí agus ar ais leis go

dtí an teilifís.

Ní raibh sé i bhfad ina shuí nuair a chuala sé duine éigin ag an doras.

Cé a bhí ann ach Máirtín.

'Hé, a Ruairí,' ar seisean, 'tá cluiche sacair thíos sa pháirc. Bhfuil tú ag teacht?'

'Cinnte,' arsa Ruairí. 'Fan go bhfaighfidh mé mo chuid stuif.'

Ní raibh sé i bhfad go raibh Ruairí i lár an aicsin agus dearmad glan déanta aige ar an gcáca! Ag leath ama bhí foireann Ruairí chun cinn, a deich in aghaidh a sé, agus bhí sé an-sásta leis féin.

Bhí an lá an-te
agus bhí gach
duine spalptha
leis an tart.
D'imigh Séimí
go dtí an siopa le haghaidh buidéil
oráiste.
Fiche nóiméad ina dhiaidh sin bhí
gach duine fós
ina luí ar an
bhféar agus iad
ag fanacht le
Séimí. Ach ní
raibh tásc ná
tuairisc air.

41

Tar éis
tamaillín
d'fhéach
Máirtín ar a
uaireadóir go

mífhoighdeach. 'Cá bhfuil sé?' ar
seisean. 'Tá sé fiche chun a ceathair
anois!'

'Céard a dúirt tú?' arsa Ruairí agus
shuigh sé suas díreach. Bhí dath an
bháis ar a éadan.

'Céard atá ort, a Ruairí?' arsa
Mairtín.

Ach bhí sé ró-mhall. Bhí Ruairí ag
imeacht leis ar a rothar síos an
bóthar.

Faoin am a chaith Ruairí uaidh a
rothar taobh amuigh den teach bhí
a fhios aige go raibh sé i dtrioblóid
mhór. Bhí boladh fíoraisteach

taobh amuigh den chúldoras agus chomh luath agus a d'oscail sé é bhuail scamall dubh deataigh sa smut é.

'Ó bhó!' ar seisean agus isteach leis. D'oscail sé doras na cistine agus na fuinneoga agus ansin, ar deireadh, d'oscail sé an t-oigheann. Bhí rud éigin dubh dóite san áit inar cheart don cháca a bheith!

Sea, bhí an cáca ina phraiseach agus bhí Ruairí i dtrioblóid. Ach céard a dhéanfadh sé? Bheadh Mam ar ais taobh istigh de leathuair an chloig! Ansin bhuail smaoineamh é.

Suas leis go dtí a sheomra agus tharraing sé anuas a thaisceadán. D'iompaigh sé bunoscionn ar an leaba é. Trí euró seasca a trí a bhí ann. Ceart! Ní raibh nóiméad le spáráil! Síos an staighre arís leis ar nós na gaoithe agus as go brách leis ar a rothar go dtí an siopa.

Bhí sé deich tar éis a cúig nuair a d'fhill Mam ón ngruagaire.

D'oscail sí an doras agus tháinig sí isteach sa seomra suite.

'Céard é an boladh sin?' ar sise.

'Boladh? Cén boladh?' arsa Ruairí.

'Mmm, níl a fhios agam,' arsa

Mam. 'Ar thóg tú amach an cáca?'

'Th... Thóg...' arsa Ruairí. 'Tá sé
ar an doirteal.'

Bhog Mam isteach sa chistin agus
Ruairí lena sála. 'Maith an
buachaill,' ar sise agus d'ardaigh sí
an claibín chun an cáca a fheiceáil.
Sheas sí nóiméad ag breathnú air.
'Cé... Céard é seo?' ar sise ar
deireadh.

'Is... cáca é,'
arsa Ruairí.
'Tá a fhios
agam é sin,'
arsa Mam,

'ach ní shin an cáca a réitigh mise. Is cáca milis é seo.' Agus d'fhéach sí go géar ar Ruairí.

'Bh… Bhuel… Bhí sórt timpiste ann,' ar seisean, 'agus b'éigean dom an ceann sin a fháil… Ach d'íoc mé féin as.'

Bhí Ruairí chomh buartha sin nach bhfaca sé gur ag iarraidh an gáire a choinneáil istigh a bhí Mam. Leis sin d'oscail an doras agus tháinig Daid isteach.

'Cén scéal?' ar seisean.

'Diabhal scéal, a Dhaid,' arsa Ruairí go neirbhíseach.

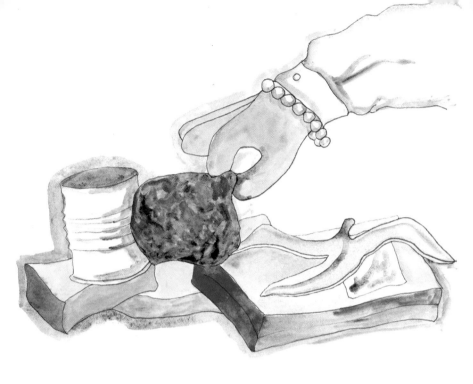

Chrom Mam síos agus d'oscail sí
claibín an channa bruscair. Idir
méar amháin agus ordóg léi thóg sí
amach a raibh fágtha dá cáca féin.
'Is buachaill cliste thú gan dabht, a
Ruairí,' arsa Mam agus an rud
dubh dóite á chaitheamh ar ais sa

channa aici,
'ach uaireanta
bíonn tú ró-
chliste.'

D'fhéach Daid
ar an mbeirt
acu ar feadh soicind amháin agus
ansin chaoch sé súil ar Ruairí.

'Nach cuma anois?' ar seisean.

'Beidh féasta againn!'

Agus bhí!

FAST FACTS

All You Need to Keep up to Speed

Skin Cancer

Karen L Agnew MBChB FRACP
Consultant Dermatologist
Chelsea & Westminster and
Charing Cross Hospitals
London, UK

Barbara A Gilchrest MD
Professor and Chairman, Department of Dermatology
Boston University School of Medicine
Chief of Dermatology, Boston Medical Center
Massachusetts, USA

Christopher B Bunker MD FRCP
Consultant Dermatologist
Chelsea & Westminster and The Royal Marsden Hospitals
Professor of Dermatology
Imperial College School of Medicine, London, UK

HEALTH PRESS
Oxford

Declaration of Independence
This book is as balanced and as practical as
we can make it. Ideas for improvement are
always welcome: feedback@fastfacts.com

Fast Facts – Skin Cancer
First published September 2005

Health Press Limited, Elizabeth House, Queen Street, Abingdon,
Oxford OX14 3LN, UK
Tel: +44 (0)1235 523233
Fax: +44 (0)1235 523238

Book orders can be placed by telephone or via the website.
For regional distributors or to order via the website, please go to:
www.fastfacts.com
For telephone orders, please call 01752 202301 (UK), +44 1752 202301 (Europe),
800 247 6553 (USA, toll free) or 419 281 1802 (Canada).

Fast Facts is a trademark of Health Press Limited.

The photographs in this book are reproduced courtesy of Medical Illustration UK Ltd,
Chelsea and Westminster Hospital, London, UK, and Aleks Itkin MD, Scripps Clinic,
La Jolla, CA, USA.

The publisher and the authors have made every effort to ensure the accuracy of this
book, but cannot accept responsibility for any errors or omissions.

For all drugs, please consult the product labeling approved in your country for
prescribing information.

A CIP catalogue record for this title is available from the British Library.

ISBN 1-903734-63-0

Agnew, K (Karen)
Fast Facts – Skin Cancer/
Karen L Agnew, Barbara A Gilchrest, Christopher B Bunker

Medical illustrations by Annamaria Dutto, Withernsea, UK.
Typesetting and page layout by Zed, Oxford, UK.
Printed by Fine Print (Services) Ltd, Oxford, UK.

Printed with vegetable inks on fully biodegradable and
recyclable paper manufactured from sustainable forests.

444　001
Low emissions
during production

Low
chlorine

Sustainable
forests